2

Isteach leis sa chistin.

D'fhéach sé isteach sa bhabhla.

Bhí sé cinnte go mbeadh rud éigin blasta ann.

Ach ní raibh. Toby bocht.

Amach leis arís agus an-díomá air.

Do

Lughaidh agus Eliona

Dhúisigh Toby.

Nach álainn an bhrionglóid sin a bhí aige…

faoi dhinnéar blasta!

D'oscail sé a shúile agus chuir sé a shrón san aer.

MMMMM!!!

Bhí boladh breá ag teacht ón gcistin.

Bhí a fhios aige cad a bhí ann.

A dhinnéar!

Amuigh sa ghairdín bhuail sé lena chara, Gus an Ghráinneog.

"Toby, a chara, cén scéal atá agat?" arsa Gus.

"Tá mé stiúgtha leis an ocras," arsa Toby. "Éist."

Rinne a bholg torann mór.

"Go bhfóire Dia orainn!" arsa Gus.

"Caithfimid rud éigin a dhéanamh faoi sin."

Shiúil Gus suas síos an gairdín ar feadh tamaillín.

Ansin rith smaoineamh leis.

"Tá a fhios agam," ar seisean, "FÉAR!"

"Féar?" arsa Toby.

Ní raibh sé róchinnte faoin smaoineamh sin.

"Bain triail as," arsa Gus. "Is maith le go leor ainmhithe é."

D'ith Toby píosa féir.

"Ugh!" ar seisean agus chaith sé amach é!

Suas síos an gairdín arís le Gus.

Ansin rith an dara smaoineamh leis.

"Tá a fhios agam," ar seisean, "PÉISTEANNA!"

"Céard?" arsa Toby.

"Péisteanna," arsa Gus. "Tá siad breá blasta."

"Um," arsa Toby agus thóg sé ceann ina bhéal.

"Ugh!" ar seisean agus chaith sé amach é!

Faoin am seo bhí pian ina bholg ag Toby bocht!

"Tá a fhios agam," arsa Gus, "an canna bruscair!"

"Céard?" arsa Toby.

"Féach ann," arsa Gus. "Bíonn rud éigin blasta i gcónaí ann."

"Ugh," arsa Toby, "ní féidir liom!"

Toby bocht. Bhí an-ocras air.

Go tobann stop Gus agus chuir sé a shrón san aer.

Rinne Toby an rud céanna.

Sheas Toby agus d'fhéach sé thar an ngeata.

Bhí Bean Uí Riain taobh istigh ach bhí a dinnéar fágtha
ar an mbord aici!

I bpreab na súl léim Toby thar an ngeata agus
suas leis de léim go dtí an bord.
Bhí go leor rudaí deasa ar an bpláta!
D'oscail sé a bhéal chun greim a bhlaiseadh...
ach...

"ÁÁÚÚÚÚÚÚÚÚÚÚÚÚÚÚÚÚ!"

Bhraith sé pian uafásach ina eireaball.

Madra mór millteach a bhí ann agus a

fhiacla sáite in eireaball Toby.

Phreab Toby go hard san aer agus as go brách leis

thar an ngeata ar ais go dtí a ghairdín féin.

Bhí Gus ag fanacht leis.

"Tá brón orm," arsa Gus, "ag iarraidh cuidiú leat a bhí mé."

"Ná bí buartha, a chara," arsa Toby.

"Ní chloisfidh tú mise ag gearán arís.

Tá ceacht foghlamtha agam!"

Ansin chuala Toby glór:

"Toby! Toby! DINNÉAR!"

D'fhéach Toby agus Gus ar a chéile agus phléasc

siad amach ag gáire.

Thosaigh eireaball Toby ag croitheadh

agus isteach leis sa teach ar nós na gaoithe

Níorbh fhada go raibh Toby ag ithe ar a sháimhín só.

"Nach mise a bhí amaideach!" ar seisean leis féin.

"Ach is cuma faoi sin anois!

Beidh codladh mór maith agam tar éis an dinnéir!"

Foilsithe ag Cló Mhaigh Eo,
Clár Chlainne Mhuiris,
Co. Mhaigh Eo,
Éire.
www.leabhar.com
094-9371744

ISBN: 1-899922-40-7

Dearadh: raydes@iol.ie
Clóbhuailte in Éirinn ag Clódóirí Lurgan Teo.

Buíochas le Ray McDonnell.

Faigheann Cló Mhaigh Eo cabhair ó Bhord na Leabhar Gaeilge.

Bord na
Leabhar
Gaeilge